ROGER BAULU

le guide officiel du *parfait barman*

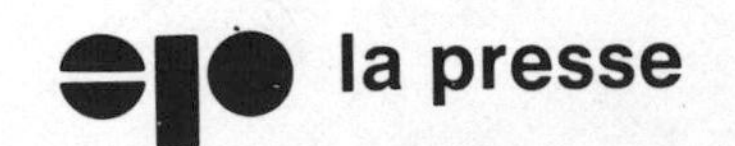
la presse

Éditeurs: LES ÉDITIONS LA PRESSE, LTÉE
7, rue Saint-Jacques
Montréal H2Y 1K9
(514) 285-6981

Conception graphique: JEAN PROVENCHER

Photographie de la couverture: PAUL GÉLINAS

Illustrations couleurs: LES DISTILLERIES MELCHERS LTÉE

Distributeur exclusif pour le Canada: LES MESSAGERIES INTERNATIONALES DU LIVRE INC.
4550, rue Hochelaga, Montréal H1V 1C6, Que.
(514) 256-7551

Dépôt légal: BIBLIOTHÈQUE NATIONALE DU QUÉBEC
4e trimestre 1973

ISBN 0-7777-0063-8

Les poètes et les buveurs s'épuisent depuis longtemps à louer Bacchus; mais ce qu'on peut dire de plus glorieux pour lui, c'est qu'il ôte la raison et, par conséquent, les soins, les inquiétudes, les chagrins dont cette importune raison est la source.

ÉRASME
(Éloge de la Folie)

L'auteur tient à remercier
Les distilleries Melchers Limitée.
La collaboration enthousiaste de ses représentants a, en effet, permis certaines mises au point dans les recettes de cocktails. Leurs conseils et suggestions se sont révélés précieux et ont conféré à ce livre la touche « professionnelle » qu'il se devait d'avoir.

Sommaire

En guise de préface

Les défis sont lancés pour être relevés. Écrire un livre, à mes yeux, en est un de taille. J'ai même longtemps pensé que la plupart du temps, c'était de la prétention. Mon nom a été signalé maintes fois au bas de nombreux articles publiés dans les revues et les journaux; plusieurs fois même, il a figuré comme préfacier aux oeuvres des autres; des milliers de fois il est apparu au générique d'émissions de télévision; on vous affirmera que depuis quelques décennies il a été entendu à notre radio... Mais de le voir là, imprimé au dos d'un livre dans un rayon de ma bibliothèque, voisinant des noms célèbres, c'est sûrement un péché d'orgueil et il est enfin commis.

Le sujet de ce livre est vaste, éternel, sans cesse à repenser, puisqu'il s'enrichit sans cesse. Il a été souvent traité, et maltraité. Les recettes qui le composent, je les ai voulues simples, logiques, faciles d'exécution, et le moins coûteuses possible.

Le « barman » a toujours été mon ami, mon confident, quelquefois mon banquier, souvent mon consolateur. Les « barmen » du monde entier se ressemblent, ayant depuis longtemps compris que leur métier est le même: il n'y a que la garnison qui change.

Mon « barman » à moi, celui de ce livre, a de l'expérience, certes, mais il n'a pas la science infuse. Il a donc complété ses connaissances de base en s'inspirant de ses confrères des autres pays du monde qui lui ont, avec spontanéité et confraternité, livré leurs secrets. On trouvera ailleurs, dans ces pages, les remerciements appropriés.

Les recettes de mon « barman » serviront peut-être, dans une modeste mesure, à nous faire oublier la rigueur des temps actuels, à nous faire prendre avec un grain de sel (ou est-ce deux de sucre?) les impôts, les fins de mois difficiles, les petits tracas, les « enquiquineurs », la politique et les autres maux quotidiens.

A tous les « barmen » du monde, par delà les « zincs », je donne une poignée de main vigoureuse et reconnaissante.

Roger Baulu

Quelques vérités sur les spiritueux

S'il existe un domaine à propos duquel circulent les légendes et les mythes les plus fantaisistes, c'est bien celui des spiritueux, mieux connus sous l'appellation générique de « boissons alcooliques » (je n'aime guère l'expression « alcooliques », qui laisse planer un relent assez trouble, évocateur d'intempérance).

A mon avis, la différence qui existe entre l'amateur de boissons savamment dosées et civilisées et le pilier de bar est celle qui existe entre le gastronome averti et le goinfre. Si vous estimez que le contenant et la qualité des ingrédients employés comptent peu en regard des effets euphorisants obtenus, passez ce guide à quelqu'un d'autre. Mais je ne suis pas juste, après tout... Vous seriez-vous donné la peine de vous procurer ce guide si vous étiez ce genre de personne ? Je ne le pense pas.

En fait, si seul l'alcool comptait pour nous, nous ferions de singulières économies en nous contentant de nous procurer ce qu'il est convenu d'appeler de l'alcool éthylique, que l'on retrouve à la base de toute boisson alcoolique. Ce précieux ingrédient, sans goût distinctif, a pour formule chimique $C_2 H_5 OH$...

En passant, disons que ça se place très bien dans la conversation et que ça ne fait de tort à personne; quant à moi, c'est un ami chimiste qui m'a refilé le secret. Dans les magasins de la Société des Alcools on trouve du C_2H_5OH d'excellente qualité pour ceux qui tiennent à fabriquer leur « caribou » et leurs liqueurs fines. Cet ingrédient de plus en plus cher s'appelle tout bonnement de « l'alcool » (« Al Cool » en anglais). L'eussiez-vous deviné ?

En partant de ce fait précis, nous allons tenter d'opérer une incursion, un voyage dans le monde des spiritueux et des cocktails et, ainsi, de remettre les choses en place.

La preuve (proofing)

Lorsque vous voyez, par exemple, « 90 proof » sur une bouteille d'alcool, cela ne signifie pas que cet alcool titre 90 degrés. Un degré de « preuve » (ou proof) correspond exactement à la moitié de un pour cent d'alcool. Ainsi, un Pernod 45 (degrés) titrera 90 de « preuve », même si cette boisson ne contient que 45% d'alcool. Un rhum « 100 proof » titrera 50% d'alcool. La méthode « par la preuve » est d'usage courant dans les pays anglo-saxons. La méthode de titrage en pourcentage est la méthode courante dans les pays latins. Chacune a ses mérites.

Les « vieux » alcools

Tout comme les vins, les alcools se bonifient avec le temps. Un whisky de 8 ans possède évidemment un goût plus raffiné qu'un whisky de deux ans. Vieillissement et maturation s'acquièrent lentement, en fût, et l'alcool s'imprègne des qualités du contenant tout en « respirant » à travers les bois sélectionnés dont il est fait. L'âge d'un spiritueux ne constitue toutefois qu'un de ses critères de qualité. Il faut également faire entrer en ligne de compte les opérations suivantes: réception et mouture des grains, cuisson, préparation des levures et fermentation, distillation, remplissage des fûts, préparation des mélanges (blending), embouteillage, etc.

Un spiritueux provenant d'une distillerie d'excellente réputation ne pourra que bénéficier du processus de vieillissement et de maturation. Un alcool de provenance douteuse ne se transformera pas en spiritueux de grande classe, dussiez-vous le laisser vieillir 107 ans dans des conditions idéales.

Le gin

Est fabriqué à partir de baies de genièvre, selon des méthodes de distillation variant d'un fabricant à l'autre. Le plus courant est le *dry gin,* très sec, à la base d'une foule de cocktails. Le dry gin peut être légèrement ambré, par suite d'une maturation en fûts, auxquels il emprunte sa couleur. Le *gros gin* ou gin de type hollandais est un favori dans nos campagnes. Il est plus riche en huiles naturelles que le dry gin et ne se prête guère aux mélanges.

Le *sloe gin* n'est pas du gin, mais une « liqueur de dame » faite avec des prunelles.

Le whisky

Est fabriqué à partir de blé, de seigle, de maïs et d'orge fermentés puis distillés. Le whisky prend sa couleur dans des fûts de chêne noircis au feu. En effet, à sa sortie de l'alambic, le whisky est généralement incolore.

Les whiskies les plus courants que l'on trouve au Canada sont le *scotch* (fabriqué, dosé et mélangé en Écosse), qui emprunte sa saveur particulière à l'orge grillée et séchée sur des feux alimentés avec de la tourbe. Il est généralement vieux de quatre ans.

Le *rye* ou whisky canadien est fait avec du seigle. On laisse également vieillir pendant quatre ans.

Le *whisky irlandais* a moins de caractère que le scotch. Il est fait avec de l'orge et d'autres grains. Ce genre de whisky est âgé d'au moins six ans avant d'être mis en vente.

Il existe également une foule de whiskies américains. Le plus populaire est le *bourbon,* fait avec du maïs et vieilli au moins quatre ans dans des barils de chêne noircis au feu. Un bourbon célèbre est celui du Kentucky. Les États-Unis produisent une foule de whiskies dits « mélangés » (blended), dont la qualité est variable et le bouquet quelquefois curieux. Rien n'empêche les touristes canadiens d'essayer les plus bizarres lors de leurs séjours chez leurs voisins du Sud.

Le rhum

Est fait à partir de jus de canne fermenté et distillé. Les *rhums bruns* le deviennent souvent à la suite d'un processus de caramélisation, non à cause des fûts. Les *rhums blancs* ou ambrés vieillissent dans des fûts non noircis au feu. Les meilleurs rhums proviennent des Caraïbes.

La vodka

La vodka russe ou polonaise est, en général, faite avec des pommes de terre. La vodka canadienne est faite avec du blé, voire du maïs. Elle est souvent filtrée dans du charbon de bois activé, ce qui lui confère une remarquable pureté. Son goût n'est pas distinctif; elle se prête donc à une foule de mélanges. On peut la boire « straight », telle qu'elle sort de la bouteille. Si on veut vraiment la boire « à la russe » il faut la consommer glacée, dans de petits verres, tout en dégustant des *zakouskis* (hors-d'oeuvre, canapés de hareng, huîtres, oeufs et quelquefois du caviar).

Le brandy ou cognac

Le mot *Brandy* vient du hollandais brandjewijn (de branden, brûler, distiller et de wijn, vin). Il est fait à partir de moûts de fruits fermentés (généralement de raisins). Les pays producteurs sont la Grèce, le Portugal, l'Espagne, l'Italie et, bien entendu, les États-Unis. Le brandy le plus célèbre, qui ne porte d'ailleurs pas ce nom, vient de France, où on l'appelle *cognac*. Une autre espèce de brandy, très recherchée, est l'*armagnac,* produit dans le département du Gers.

La méthode de classification dite « par étoiles » n'est pas standardisée. Il est évident que du «trois étoiles » assure une bonne qualité de cognac, mais certains distillateurs de moindre envergure l'utilisent aussi et vont jusqu'à afficher cinq étoiles sur leurs bouteilles! Le sigle VSOP signifie « Very superior old pale ». Le cognac dit « Napoléon », quoique généralement excellent, constitue une appellation un peu prétentieuse.

La tequila

Se prépare à partir du jus fermenté et distillé d'un cactus géant de la famille des agaves, qui s'appelle « magué » au Mexique. Les agaves prennent huit ans avant d'être mûres pour la récolte. La tequila almendrado est parfumée aux amandes.

Les autres alcools, vermouths, liqueurs, etc.

Il y aurait un livre à écrire sur toutes les espèces de vermouths, d'alcools bizarres, de liqueurs folkloriques. Signalons d'abord qu'au Canada nous n'avons pas le choix (pratiquement illimité) que l'on trouve dans les plus grands « liquor stores » américains ou chez les détaillants français. Certaines spécialités sont bien implantées chez nous, tandis que d'autres prennent du temps avant de s'imposer. Chaque année, toutefois, la Société des alcools, sous la pression d'un public de plus en plus cosmopolite allonge ses listes.

Le bon barman expérimente prudemment et peut même créer des cocktails inédits, grâce à des alcools rapportés (dans les cadres de la légalité !) de ses voyages à l'étranger.

L'art d'être barman, c'est un peu l'art d'être sorcier. C'est faire preuve d'originalité, de fantaisie, sans jamais commettre de faute de goût. Cette expérience s'acquiert, comme bien des choses, avec la pratique.

Le matériel du parfait barman

2 ou 3 verres à mesurer gradués en onces, en demi-onces et en quarts d'onces. On peut également utiliser des « jiggers », ces mesures chromées ou en argent, qui ajouteront au service la touche de « professionnalisme » nécessaire.

Un « frappe coquetels », que l'on appelle tout bonnement *shaker* dans le métier. Deux timbales bien emboîtées l'une dans l'autre peuvent faire l'affaire.

Une passoire adaptable au shaker. Bordée de fils métalliques, on la connaît aussi sous le nom de *wire strainer*. Il est préférable de la prendre chromée plutôt qu'en cuivre ou en argent.

Une cuiller de bar (pour mélanger) ainsi que quelques agitateurs en verre.

Un presse-citron.

2 ou 3 ouvre-bouteilles (décapsulateurs).

Un perce-cannette.

Un tire-bouchon.

Des bouchons en plastique (pour reboucher les bouteilles de boissons gazeuses).

Un seau à glace (isolé, de préférence) avec couvercle.

Des pinces à glace.

Des cuillers à mesurer (pour le sucre, etc.).

Un petit mortier en bois avec son pilon (facultatif) pour piler la menthe, les fruits, etc.

Un petit couteau à peler les fruits.

Une petite planche à découper.

Une cruche à eau, à bec.

Une cruche pour les mélanges, à bec.

Des cure-dents pour piquer les amuse-gueules.

De petits pics en plastique (pour embrocher cerises et fruits).

Des bâtonnets à cocktails.

ALEXANDER

MARTINI

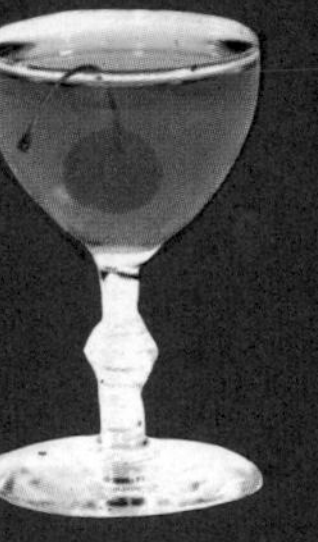

MANHATTAN

CANADIEN

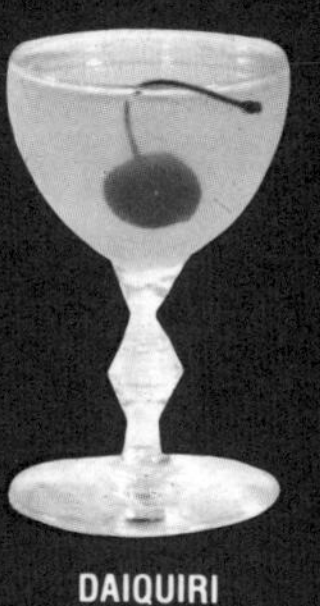

DAIQUIRI

CHAMPAGNE COCKTAIL

GIMLET

WARD 8

OLD FASHIONED

JOHN COLLINS

SCREW-DRIVER

ZOMBIE

PLANTER'S PUNCH

CABANA

GRAND PRIX

BETWEEN THE SHEETS

PUNCH

PINK LADY

GOGO

SOURS

MOSCOW MULE

GIN CHAUD

SINGAPORE

COUGAR

GIN FIZZ

TOM AND JERRY

Une variété de verres dont voici les illustrations.

1 « zombie » ou super-highball
2 highball
3-4 cocktail
5 « old fashioned »
6 champagne et cocktail
7 liqueur
8 champagne ou bière
9 cognac ou liqueur
10 vin

Les ingrédients de base

— De l'eau gazeuse (soda).

— Des eaux minérales (genre Perrier) sans goût spécifique.

— Du ginger-ale.

— Des boissons gazeuses (genre cola ou limonade), au choix.

— Des tonics, au choix.

— Du sucre en poudre, à fruits ou du sirop simple*.

* Très simple à préparer: dissoudre une livre de sucre à fruits dans 16 oz. d'eau chaude. Remuer jusqu'à dissolution complète.

— Des oranges, des citrons, des limettes.

— Des cerises au marasquin, vertes et rouges.

— Quelques oeufs (surtout pour les blancs).

— De l'angustura ou de l'orange bitters.

ÉQUIVALENCES APPROXIMATIVES

Mesures américaines (« avoirdupois »)	Mesures métriques
$^{1}/_{2}$ once liquides ($^{1}/_{2}$ oz.)	1,5 centilitres
$^{3}/_{4}$ once " ($^{3}/_{4}$ oz.)	2 "
1 once " (oz.)	3 "
$1^{1}/_{4}$ onces liquides ($1^{1}/_{4}$ oz.)	3,5 "
$1^{1}/_{2}$ onces " ($1^{1}/_{2}$ oz.)	4,5 "
$1^{3}/_{4}$ onces " ($1^{3}/_{4}$ oz.)	5 "
2 onces liquides (2 oz.)	6 "
8 onces liquides (1 tasse) (8 oz.)	24 "

L'aire de travail du génial mixologiste*

Si vous possédez un bar en acajou avec réfrigérateur encastré, alcootest, récipients carrés (pour empêcher les mélanges de tourner) et antivol (pour prévenir la perte des cuillers en argent), tant mieux pour vous... Mais, trêve de plaisanteries. L'aire de travail peut évidemment être un bar (souvent beaucoup plus simple que celui décrit ci-haut) ou, plus prosaïquement, une table ou un dessus de comptoir de cuisine. Il faut toutefois se souvenir d'une chose: il est bon de se trouver le plus près possible d'un réfrigérateur, car il vous faudra *une quantité appréciable de glace.*

Pour vous faciliter la vie, vous pouvez fabriquer d'avance bon nombre de cubes de glace que vous conserverez dans des sacs en plastique dans votre congélateur. Si vous possédez un congélateur de

* Barman. Terme popularisé à Montréal par le regretté reporter Al Palmer, successivement de *The Herald* et *The Gazette,* grand spécialiste de la vie nocturne de notre « Paris d'Amérique ».

grandes dimensions, cela n'offrira aucune difficulté, particulièrement si vous désirez fabriquer des blocs ou pains de glace (pour les punches, par exemple).

Le genre de glace que vous utiliserez le plus souvent dans les cocktails sera la glace concassée. Si vous disposez d'un blender, il vous suffira de broyer les cubes de glace à l'aide de cet appareil et de décider vous-même de la grosseur requise.

Il existe également l'alternative des copeaux de glace (ice shavings), que l'on fabrique à partir d'un pain de glace avec un petit appareil vendu dans le commerce sous le nom de « rabot à glace » (ice shaver). L'effet obtenu est très joli, mais, en réalité, il s'agit d'un gadget amusant permettant de donner à la glace une présentation distinctive.

Si vous n'avez pas de blender pour fabriquer votre glace concassée, voici un bon truc: lavez soigneusement des contenants de lait en carton. Remplissez-les d'eau aux trois-quarts et placez-les dans votre congélateur. Lorsque la glace est prise, n'essayez pas de l'enlever du carton. Brisez-la plutôt avec un marteau en frappant les parois du contenant jusqu'à ce que vous obteniez la grosseur désirée. Lavez bien la glace pour retirer toute trace de paraffine.

La technique du barman

Les barmen les plus sérieux mesurent presque toujours les doses de spiritueux entrant dans la composition des cocktails. Il est tentant de jouer au barman expérimenté en versant d'un air savant de grosses rasades sans se servir de mesures, mais, à moins de pratiquer tous les jours (et encore !), tout ce que vous risquez, c'est de présenter des drinks trop forts ou trop faibles.

Votre mesure la plus courante sera le *jigger* d'une once et demie ($1\frac{1}{2}$ oz.) pour les cocktails, de deux onces (2 oz.) pour les highballs. Les $\frac{1}{2}$ et $\frac{1}{4}$ d'once sont réservés aux ingrédients secondaires.

Une autre mesure revient souvent: c'est la *cuiller à thé*. Il ne s'agit pas de la cuiller à thé de votre tante Berthe ni de la cuiller avec laquelle vous remuez votre café (ou votre thé) le matin, mais tout simplement d'une cuiller de barman, qui ressemble à s'y méprendre aux deux ustensiles dont nous venons de parler. Cette cuiller comporte généralement un long manche, pour remuer les « long drinks » dans les tumblers et les verres à Collins. Les cuillers de ménage variant considérablement, il est bon de se procurer une cuiller de barman. Son prix est dérisoire.

Quand, dans les recettes qui suivent, nous indiquons « 1 c. à thé de sucre », les puristes ne se fâcheront point, je l'espère, en nous accusant de traduire servilement le mot *teaspoon,* car le thé n'a pas grand-chose à faire là-dedans. Il s'agit en somme d'une sorte de code que tous les barmen utilisent.

Il existe une mesure assez peu définie, et c'est le *trait,* expression que l'on retrouve surtout en Europe. A l'origine, il s'agit de ce qu'on peut avaler de liqueur d'une seule haleine. Variable, n'est-ce pas ? Estimons le trait à $^3/_4$ d'once et n'en parlons plus.

Le *soupçon* est de la même nature. Il correspond à environ $^1/_{32}$ d'once ou $^1/_6$ de cuiller de barman. Pour les punches, rappelons-nous qu'une *tasse* équivaut à 8 onces.

Le brassage des cocktails

Certains barmen professionnels allèguent qu'il faut au moins dix ans pour apprendre à bien agiter un cocktail. Cela fait partie de la mystique de cette profession. En réalité, il suffit d'avoir brassé une vingtaine de cocktails pour prendre « ce petit coup de main » que tous vous envieront. Inutile de faire de grands gestes, de passer le shaker par-dessus votre tête, etc. pour épater l'assistance. Rien ne vous empêche de donner votre petit spectacle, bien sûr, mais tout ce décorum n'ajoutera rien à la qualité des drinks que vous préparerez.

Une chose est certaine: les cocktails contenant des ingrédients un peu gras comme de la crème, des oeufs, des jus de fruits « lourds » comme le jus de fraise, de papaye, d'ananas (fruits qui, même s'ils ne sont pas indiqués dans les recettes qui suivent, peuvent ajouter, selon votre imagination, une touche d'exotisme à ces boissons) devront être brassés plus vigoureusement que les mélanges plus légers à base d'alcools conventionnels. Les cocktails les plus mystérieux peuvent être obtenus après passage au blender. Il se formera à leur surface une mousse abondante et nullement désagréable, fruit de l'homogénéité ainsi obtenue. De plus, les ingrédients difficiles à mélanger s'incorporeront beaucoup mieux de cette façon. Certains mixologistes ne jurent que par la méthode du blender.

Dans les recettes qui suivent nous disons toujours: « Bien agiter avec de la glace concassée ». Cette expression est synonyme de « brasser vigoureusement » ou de l'ineffable expression française « passer au shaker ».

Nous parlions précédemment de glace. On notera que tout au long nous employons l'expression « cubes de glace », que tout le monde comprend au Canada et que nous jugeons préférable à « glaçons » (expression d'outre-Atlantique peu répandue ici).

Le filtrage

Une fois bien agités, les cocktails doivent toujours être passés avant d'être servis, afin que les restes de morceaux de glace, les fibres de fruits, de feuilles de menthe, etc. restent dans le shaker. Le filtre (ou passoire) idéal pour les cocktails comporte un adaptateur en fil métallique, généralement chromé, qui s'adapte au shaker.

Lorsque vous préparez la même recette pour plusieurs personnes, il suffit de mélanger les ingrédients en quantités proportionnelles au nombre des intéressés. Par exemple, si une recette exige 1$^{1}/_{2}$ oz. de rye et 1 oz. de vermouth et que vous désiriez la préparer pour quatre amateurs, il vous suffira de mélanger d'un seul coup 6 oz. de rye et 4 oz. de vermouth. Lorsque vous versez le même cocktail à plusieurs invités la bienséance veut que vous ne remplissiez leurs verres qu'à moitié et que vous reveniez égaliser la hauteur des drinks autant de fois que cela est nécessaire, afin de ne point faire de jaloux. Dans les recettes qui suivent, nous utilisons la vieille expression « couler », de préférence à « passer » ou à « verser ». Nous ne sommes d'ailleurs pas les seuls.

Nous revenons une fois de plus au chapitre de la glace. Lorsque nous indiquons « avec de la glace concassée », nous voulons dire concassée de manière assez grossière, de la taille de l'ongle d'un pouce d'homme ou, si vous préférez, de la taille d'$^1/_5$ de cube de glace. De la glace trop finement broyée ne conviendra pas à la majorité des cocktails et ne fera que les diluer.

Les « long drinks », ou « boissons longues », contenant d'autres ingrédients comme des jus de fruits, des sirops, etc. doivent être agités avec de la glace à l'aide de la cuiller de barman. Lorsque les recettes mentionnent « agiter délicatement », cela signifie souvent que les drinks contiennent des boissons ou des eaux gazeuses qui risquent de perdre leur effervescence par suite d'un brassage trop vigoureux. L'art de mélanger s'acquiert — tout comme l'art du shaker — à force d'expérience.

Un petit truc: s'il vous faut ajouter du sucre à une recette dont les autres ingrédients sont des alcools, placer le sucre en premier dans le contenant où doit s'opérer le mélange. Aussi curieux que cela paraisse, le sucre se dissout très bien dans l'alcool. Il est préférable d'utiliser du sucre en poudre et du sucre dit « à fruits », ou sucre cristallisé. Le sucre à glacer est déconseillé.

Un autre truc: lorsque vous utilisez des cubes de glace dans une recette du genre « on the rocks », par exemple, mettez toujours les cubes de glace en premier dans le verre. Vous éviterez ainsi bien des éclaboussures disgracieuses. De plus, en coulant sur les cubes pendant que vous verserez, les ingrédients se refroidiront progressivement et dégageront ainsi pleinement leur saveur.

Comment rafraîchir et givrer un verre

On peut, tout d'abord, placer les verres dans le réfrigérateur (il est, en effet, très important que les verres soient bien froids). On peut également remplir le verre de glace concassée. Lorsqu'on est prêt à couler le drink, il suffit de jeter la glace et de verser le cocktail.

Pour donner une apparence givrée au verre, on peut l'enfouir dans de la glace concassée (tête en bas) jusqu'au moment de s'en servir.

Autre méthode: le « givrage » au sucre. Prendre un verre bien rafraîchi ou prégivré, frotter son bord avec une tranche de citron ou de limette pour bien l'humecter et le passer dans du sucre en poudre.

Pour flamber

Il est nécessaire de préchauffer le verre ou la tasse, afin d'éviter les brusques écarts de température. Commencer à chauffer un peu d'alcool dans une cuiller et, de temps en temps, présenter à la flamme jusqu'à ce que le liquide prenne feu. Verser doucement dans le verre jusqu'à ce que le reste de l'alcool flambe. Ne pas trop laisser flamber: l'alcool perdrait de ses qualités et se caraméliserait exagérément.

Utilisation des fruits

Il est préférable d'utiliser des jus de fruits frais ou surgelés. Éviter les jus de fruits artificiels ou les poudres donnant du jus « reconstitué ». On verse d'abord le jus et l'alcool ensuite.

Les bitters

Indispensables à tout vrai barman. Le plus courant est l'angustura, originaire des Caraïbes. Il existe également des « orange bitters », des bitters de la Nouvelle-Orléans, etc. Les utiliser, goutte à goutte, par « soupçons ».

La superposition des liqueurs

C'est une opération délicate au cours de laquelle il faut déployer de la patience. Le plus simple est de se servir d'une cuiller à café (une vraie, cette fois-ci). Placer la cuiller dans le verre à liqueur *le manche en bas.* Verser *très doucement* à la hauteur du corps de la cuiller. La liqueur suivra alors le manche de l'ustensile et descendra doucement dans le verre. Opérer successivement dans l'ordre indiqué jusqu'à ce que vous ayez superposé toutes les couches de liqueurs. Lorsque vous aurez pris de l'expérience, vous pourrez utiliser un agitateur de verre.

Gin

Les grands classiques

Gin & Tonic

2 oz. de dry gin
2 cubes de glace

Mettre les ingrédients dans un verre à Collins, remplir de tonic water et remuer délicatement.
Décorer d'une rondelle de limette qu'on fait tenir sur le bord du verre.

Tom Collins (ou John Collins)

2 oz. de gin
1 oz. de jus de citron
1 c. à thé de sucre

Bien agiter avec de la glace concassée et couler dans un verre à Collins. Compléter avec de l'eau gazeuse et remuer délicatement. Décorer avec des tranches d'orange et de citron.

Si l'on utilise de la tequila à la place du gin et de la limette à la place de citron, on obtient un *Tequila Collins,* un drink très populaire sur la côte ouest des États-Unis. On peut également remplacer le gin par de la vodka, du whisky ou du rhum, au choix.

Gin Rickey

2 oz. de dry gin
2 cubes de glace
jus d'une demi-limette

Verser dans un verre à highball et remplir avec de l'eau gazeuse. Ajouter un zeste de limette.

Gimlet

1 1/4 oz. de dry gin
1/2 oz. de triple sec
jus d'une limette

Bien agiter avec de la glace concassée et couler dans une coupe à champagne. Décorer d'une cerise verte sur pic.

Gin Sour

2 oz. de dry gin
1 c. à thé de sirop simple
1 blanc d'oeuf
jus d'un demi-citron

Bien agiter avec de la glace concassée et couler dans un grand verre à cocktail.
Compléter avec de l'eau gazeuse.
Décorer avec une tranche de limette sur le bord du verre.

Alexander

1 oz. de dry gin
1 oz. de crème de cacao
1 oz. de crème fraîche à 15%

Agiter avec de la glace concassée et couler dans un verre à cocktail. On peut utiliser du *brandy,* du *rye,* du *rhum* à la place du gin.

Pink Lady

$1\frac{1}{2}$ oz. de dry gin
$\frac{1}{2}$ c. à soupe de grenadine
1 c. à soupe de crème fraîche
à 35%
jus d'un demi-citron

Bien agiter avec de la glace concassée et couler dans un verre à sour. Servir avec une cerise, si désiré.

Rose Cocktail

$1\frac{1}{2}$ oz. de dry gin
$\frac{1}{2}$ oz. de vermouth blanc
$\frac{1}{2}$ oz. de cherry Rocher

Bien agiter avec de la glace concassée et couler dans un verre à cocktail.
Servir avec une cerise.

Bronx

1 oz. de dry gin
1 oz. de vermouth sec genre
Cinzano
jus du quart d'une orange

Bien agiter avec de la glace concassée et couler dans un verre à cocktail.
Décorer d'une tranche d'orange.
Pour un *Bronx Goldy*, ajouter un jaune d'oeuf.
A la recette ci-dessus, on peut ajouter 1 oz. de Cinzano rouge pour obtenir un drink plus velouté.

Belmont

2. oz. de dry gin
1 oz. de crème fraîche à 15%
1 c. à thé de sirop de framboise

Bien agiter avec de la glace concassée et couler dans un verre à cocktail.

Bloodhound

1 oz. de dry gin
$^{1}/_{2}$ oz. de vermouth sec
$^{1}/_{2}$ oz. de vermouth doux
quelques fraises ou framboises
pilées (3 ou 4)

Bien agiter avec de la glace
concassée et couler dans un
verre à cocktail.

Crimson Bishop

$1^{1}/_{2}$ oz. de dry gin
1 c. à thé de grenadine
3 c. à thé de jus de citron
1 oz. de porto rouge (a garder
pour la fin)

Bien agiter le gin, la grenadine,
le jus de citron avec de la
glace concassée.
Couler dans un verre à cocktail
en prévoyant suffisamment de
place pour le porto, qu'on
fait flotter sur le tout.

Club House

$1^1/_2$ oz. de dry gin
$^3/_4$ oz. de Cinzano rouge

Bien agiter avec de la glace concassée et couler dans un verre à cocktail.
Décorer avec une cerise.

Gin Daisy

2. oz. de dry gin
1 c. à thé de sirop simple
jus d'un demi-citron

Bien agiter et servir dans un verre à cocktail. Compléter avec de l'eau gazeuse. Décorer avec une tranche de citron.

Maiden Blush

$1^1/_2$ oz. de dry gin
$^3/_4$ oz. de Pernod
1 c. à thé de grenadine

Bien agiter avec de la glace concassée et couler dans un verre à cocktail.

Variantes: Ceux qui n'aiment pas le pernod peuvent lui substituer $^3/_4$ oz. de Marie-Brizard ou $^1/_2$ oz. de triple-sec additionnée d'un trait de jus de citron.

Orange Blossom

1 oz. de dry gin
1 oz. de jus d'orange
1 c. à thé de sucre en poudre

Bien agiter avec de la glace concassée et couler dans un verre à cocktail. Pour obtenir un effet spécial, remplacer le sucre par une cuillerée à thé de grenadine.

Cocktail de la Reine

1 1/2 oz. de dry gin
3/4 oz. de vermouth blanc
1/2 oz. de bénédictine

Bien agiter avec de la glace concassée et couler dans un verre à cocktail.

La Dame Blanche

1 1/2 oz. de dry gin
1 blanc d'oeuf
1 c. à thé de crème fraîche à 15%

Bien agiter avec de la glace concassée et couler dans un verre à cocktail.

Cocktails fous
Cocktails sauvages
Cocktails « fizzeurs »

Weirdo

1 oz. de dry gin
$^{3}/_{4}$ oz. de vermouth blanc
$^{3}/_{4}$ oz. de Pernod
un trait de crème de menthe blanche

Bien agiter avec de la glace concassée.
Couler dans un verre à cocktail.
Servir avec 2 raisins ou un pruneau cuit.

Pied Noir

1 oz. de dry gin
1 oz. de vermouth blanc
1 c. à thé de triple sec
3 gouttes de bitters à l'orange

Bien agiter avec de la glace concassée et couler dans un verre à cocktail. Décorer avec une datte farcie à la pâte d'amande, si disponible.

Knickerbocker Smack

$1\frac{1}{2}$ oz. de dry gin
$\frac{3}{4}$ oz. de vermouth Cora blanc
$\frac{1}{2}$ oz. de vermouth Cora rouge

Bien agiter avec de la glace concassée et couler dans un verre à cocktail.
Servir avec un zeste de citron qu'on aura préalablement pressé sur le bord du verre.

Pick a Dilly

2 oz. de dry gin
$\frac{1}{2}$ oz. de Noilly Pratt

Bien agiter avec de la glace concassée et couler dans un verre à cocktail.
Servir avec une tranche de cornichon dill coupé sur la longueur.

Le Macaque

$1^1/_2$ oz. de dry gin
$^1/_2$ oz. de Noilly Pratt
2 c. à thé de sirop de cassis
zeste de citron

Bien agiter avec de la glace concassée.
Couler dans un verre à cocktail. Décorer avec une cerise.

Scandal Sheet

$1^1/_2$ oz. de dry gin
$^1/_2$ oz. de vermouth blanc
$^1/_2$ oz. de vermouth rouge
1 c. à thé de triple sec
2 gouttes d'angustura
jus d'un demi-citron

Bien agiter avec de la glace concassée et couler dans un verre à cocktail.

Afanaf

$1\frac{1}{4}$ oz. de dry gin
$1\frac{1}{4}$ oz. de vermouth blanc

Bien agiter avec de la glace concassée et couler dans un verre à cocktail.

Hawaiian

2 oz. de dry gin
$\frac{1}{2}$ oz. de jus d'ananas
$\frac{1}{2}$ oz. de triple sec

Bien agiter avec de la glace concassée et couler dans un verre à cocktail.

Green Monster

$1^1/_2$ oz. de dry gin
$^1/_2$ oz. de crème de menthe verte
$^1/_2$ oz. de chartreuse verte
3 gouttes d'angustura
jus d'une demi-limette

Bien agiter avec de la glace concassée et couler dans un verre à cocktail.

Gin N' Zano

$1^1/_2$ oz. de dry gin
$1^1/_2$ oz. de Cinzano rouge

Bien agiter avec de la glace concassée et couler dans un verre à cocktail.

Wet Flamingo

$1^1/_2$ oz. de dry gin
$^1/_2$ oz. de liqueur d'abricot
2 c. à thé de grenadine
jus d'un demi-citron

Bien agiter avec de la glace concassée et couler dans un verre à cocktail.

Coco Loco

$1^1/_2$ oz. de dry gin
1 c. à thé de sucre en poudre
$^1/_2$ oz. de tequila
1 noix de coco

Décapiter une noix de coco. Bien agiter gin, sucre et tequila avec, si on peut le récupérer, le lait de coco et de la glace concassée. Couler dans la noix, ajouter de l'eau gazeuse, un soupçon de poivre.
Servir avec pailles.

L'oiseau de Paradis (Highball)

2 oz. de dry gin
1 c. à thé de sucre en poudre
1 c. à thé de grenadine
1 blanc d'oeuf

Bien agiter avec de la glace concassée, couler dans un verre à highball et remplir d'eau gazeuse.

Bachelor's Trap

1 1/2 oz. de dry gin
1/2 c. à thé de grenadine
4 gouttes de bitters à l'orange
1 blanc d'oeuf

Bien agiter avec de la glace concassée et couler dans un verre à cocktail.

San Marino

$1^1/_2$ oz. de dry gin
$1^1/_2$ oz. de vermouth blanc
1 c. à thé de chartreuse

Bien agiter avec de la glace concassée et couler dans un verre à cocktail.
Décorer avec une branchette de menthe fraîche.

Fizz-o-gros Gin

$1^1/_2$ oz. de gros gin
1 c. à soupe de sucre à fruits
jus d'un citron

Bien agiter avec de la glace concassée et couler dans un verre à Collins. Remplir le verre d'eau gazeuse glacée.
Décorer de fruits, si désiré.

N.B.: Il s'agit, en fait de la recette de base du gin fizz, où le dry gin est généralement utilisé; les mixologistes les plus aventureux voudront essayer cette recette avec du rye, du scotch, du cognac, du rhum blanc, du rhum brun, de la vodka, etc.

Gin Fizz Sudiste

2 oz. de dry gin
1 c. à thé de sucre en poudre
jus d'un demi-citron
1/2 oz. de Southern Comfort

Bien agiter avec de la glace concassée et couler dans un verre à highball.
Remplir avec de l'eau gazeuse glacée.
Décorer avec une ou deux feuilles de menthe.

Gin Fizz

2 oz. de dry gin
1 c. à thé de sucre en poudre
jus d'un demi-citron

Bien agiter avec de la glace concassée.
Couler dans un verre à highball. Remplir d'eau gazeuse et mélanger délicatement.

Fizz Nouvelle-Orléans

2. oz. de dry gin
1 oz. de jus de citron
1 c. à thé de sucre en poudre
1 blanc d'oeuf
1 c. à thé d'eau de fleur d'oranger
1 c. à thé de crème fraîche à 15%

Bien agiter avec de la glace concassée et couler dans un verre à Collins. Compléter avec de l'eau gazeuse. Remuer délicatement.

Rallye de Monte-Carlo Highball

2 oz. de dry gin
1/2 oz. de crème de menthe blanche
1/2 oz. de jus de citron

Bien agiter avec de la glace concassée, couler dans un verre à highball; compléter avec du champagne, du Vouvray ou un autre mousseux sec. Mélanger délicatement.

Gin Cobbler

2. oz. de dry gin
1 c. à thé de sirop simple ou
1 c. à thé de sucre à fruits dissous
dans un peu d'eau.

Verser les ingrédients dans un tumbler ou un verre à Collins préalablement rempli de glace concassée ou en copeaux. Mélanger délicatement. Décorer avec des fruits de saison.

Gin-o-Galliano

2 oz. de dry gin
1 oz. de liqueur italienne Galliano
jus d'orange, frais de préférence

Verser les deux alcools dans un verre à highball contenant 3 ou 4 cubes de glace. Compléter avec du jus d'orange. Remuer délicatement. Décorer avec une demi-tranche d'orange ou d'ananas.

Whiskies

Old Fashioned

$1^1/_2$ oz. de rye
1 ou 2 gouttes d'angustura
1 morceau de sucre
eau gazeuse

Mettre un morceau de sucre dans un verre à Old Fashioned et une ou deux gouttes d'angustura sur le sucre. Ajouter un filet d'eau gazeuse et piler le sucre. Ajouter ensuite un grand cube de glace et $1^1/_2$ oz. de rye. Décorer de fruits.

Ward Eight

$1^1/_2$ oz. de rye*
jus d'un demi-citron
jus d'une demi-orange

Bien agiter et couler dans un verre à Old Fashioned. Ajouter un ou deux cubes de glace. Décorer de fruits, si désiré.

*On peut remplacer le rye par du rhum blanc ou brun.

Canadian Coast to Coast

$1^1/_2$ oz. de rye canadien
$^1/_2$ c. à thé de curaçao
2 gouttes d'angustura
1 c. à thé de sucre en poudre

Bien agiter avec de la glace concassée et couler dans un verre à cocktail.

Dynamite

$1^1/_2$ oz. de rye
$1^1/_2$ oz. de Pernod

Bien agiter avec de la glace concassée et couler dans un verre à cocktail.

Gogo

$^{3}/_{4}$ oz. de rye
$^{3}/_{4}$ oz. de vodka
$^{1}/_{4}$ oz. de jus de pamplemousse
$^{1}/_{4}$ oz. de jus de citron
$^{3}/_{4}$ c. à thé de grenadine

Bien agiter avec de la glace concassée. Couler dans un verre à sour. Décorer d'une cerise et d'un zeste de citron.

Commodore King

$1^{1}/_{2}$ oz. de rye
1 c. à thé de sucre en poudre
2 gouttes d'angustura
jus d'un demi-citron

Bien agiter avec de la glace concassée et couler dans un verre à cocktail.

Evening Delight

$1^1/_2$ oz. de rye
$^1/_2$ oz. de curaçao
$^1/_2$ oz. d'apricot brandy

Bien agiter avec de la glace concassée et couler dans un verre à cocktail.

Rob Roy

$1^1/_2$ oz. de scotch
1 oz. de vermouth rouge
1 trait de bitter à l'orange

Bien agiter avec de la glace concassée et couler dans un verre à cocktail.

Cougar

Dans un verre à highball verser:
2 cubes de glace
$1^1/_2$ oz. de scotch
le jus d'une demi-limette

Remplir le verre de ginger ale. Servir avec une cuillère ou un pic.

Grand Prix

$1^1/_2$ oz. de scotch
1 oz. de vermouth français
2 gouttes d'angustura
4 gouttes de bitters à l'orange
grenadine au goût

Ajouter de la glace. Bien agiter et couler dans un verre à cocktail. Ajouter une cerise, si désiré.

Miami

$^3/_4$ oz. de scotch
$^3/_4$ oz. de vermouth blanc
1 oz. de jus de pamplemousse

Bien agiter avec de la glace concassée et couler dans un verre à cocktail.

Rattlesnake

$1^1/_2$ oz. de bourbon, de rye ou de scotch
$^1/_2$ c. à thé de Pernod
$^1/_2$ oz. de jus de citron
1 c. à thé de sucre en poudre
1 blanc d'oeuf

Bien agiter avec de la glace concassée et couler dans un verre à cocktail.

Whisky Sour

$1^1/_2$ oz. de rye ou de scotch
1 c. à thé de sucre à fruits
jus d'un demi-citron

Bien agiter avec de la glace concassée et couler dans un verre à sour. Ajouter une tranche d'orange et une cerise.

N.B.: Cette recette constitue la base de tout "sour". Si l'on remplace le whisky par du dry gin ou du rhum blanc, il est recommandé d'ajouter $^1/_3$ de blanc d'oeuf.

Manhattan

$1^1/_2$ oz. de whisky (rye ou scotch)
$^3/_4$ oz. de vermouth blanc*
2 gouttes d'angustura

Bien agiter avec de la glace concassée et couler dans un verre à cocktail.

*Il s'agit ici du Manhattan classique. Si l'on désire un *Sweet Manhattan,* remplacer le vermouth blanc par du vermouth rouge (doux).

Los Angeles

2 oz. de whisky (rye ou scotch)
1 c. à soupe de vermouth rouge
1 c. à thé de sucre en poudre
1 blanc d'oeuf
jus d'un demi-citron

Bien agiter avec de la glace concassée et couler dans un verre à cocktail.

Le Canadien

1 1/2 oz. de rye canadien
1/2 oz. de jus de citron
1/2 oz. de sirop d'érable
2 gouttes d'angustura

Bien agiter avec de la glace concassée et couler dans un verre à cocktail.

Café des Artistes Fizz

$1\frac{1}{2}$ oz. de rye
$\frac{3}{4}$ oz. de porto
1 c. à thé de sucre en poudre
1 blanc d'oeuf
jus d'un demi-citron

Bien agiter avec de la glace concassée.
Couler dans un verre à highball et remplir d'eau gazeuse ou de Perrier. Servir avec une tranche de citron, de limette ou d'ananas.

Highland Long Drink

1 c. à thé de sucre en poudre
2 oz. de scotch
zeste d'un citron

Dans un verre à highball dissoudre le sucre en poudre dans un peu d'eau gazeuse. Remplir le verre de glace concassée. Ajouter le scotch. Compléter avec de l'eau gazeuse. Remuer délicatement. Découper en spirale le zeste d'un citron et le faire pendre en l'accrochant au bord du verre.

Des joyeux Irlandais
Aux joyeux Sudistes . . .

Irish Lad Cocktail

2 oz. de whisky irlandais
2 c. à thé de crème de menthe verte
2 c. à thé de chartreuse verte

Bien agiter avec de la glace concassée et couler dans un verre à cocktail.
Servir avec une olive (verte, évidemment !).

Mad Irishman

2 oz. de whisky irlandais
$^{1}/_{2}$ c. à thé de curaçao
$^{1}/_{2}$ c. à thé de Pernod
$^{1}/_{4}$ c. à thé de liqueur de marasquin ou de kirsh
2 gouttes d'angustura

Bien agiter avec de la glace concassée et couler dans un verre à cocktail. Décorer d'un zeste d'orange et d'une olive verte.

St. Patrick's Cocktail

1 oz. de whisky irlandais
1 oz. de chartreuse verte
1 oz. de crème de menthe verte
4 gouttes d'angustura

Bien agiter avec de la glace concassée et couler dans un verre à cocktail.

Mint Julep

2 ou 3 oz. de bourbon
1 c. à thé de sucre en poudre
menthe fraîche

Dans un verre à Collins, écraser: deux ou trois branchettes de menthe fraîche mélangées à 1 c. à thé de sucre en poudre et un peu d'eau. Remplir le verre de glace concassée ou de copeaux de glace et, en dernier lieu, verser 2 ou 3 oz. de bourbon. Mélanger doucement le tout jusqu'à ce que le verre givre. Décorer avec une tranche d'orange et une tranche de citron. Ajouter 3 ou 4 branchettes de menthe fraîche sur le dessus. Servir avec pailles.

Julep Sudiste « Dixie »

3 oz. de bourbon
1 c. à thé de sucre en poudre
feuilles de menthe fraîche

Mettre les ingrédients dans un verre à Collins. Remplir avec de la glace concassée ou en copeaux et remuer lentement jusqu'à ce que le verre "sue". Décorer avec les feuilles de menthe. Servir avec pailles.

Old Kentucky Home

$1^1/_2$ oz. de bourbon
2 oz. de jus d'ananas, frais si possible
4 feuilles de menthe

Bien agiter avec de la glace concassée et passer dans un grand verre à cocktail (4 oz. au moins). Décorer avec les feuilles de menthe.

Bourbon Highball

2 oz. de bourbon
2 cubes de glace

Verser dans un verre à highball, remplir avec de l'eau gazeuse ou du ginger ale. Remuer modérément.

RHUM

Daiquiri

$1^1/_2$ oz. de rhum blanc
1 c. à thé de sucre à fruits
jus d'une demi-limette

Bien agiter avec de la glace concassée et couler dans un verre à cocktail.

Daiquiri Igloolik

2 oz. de rhum blanc
1 c. à thé de sucre en poudre
jus d'une limette

Mélanger les ingrédients dans un blender avec trois cubes de glace jusqu'à ce que cette dernière soit parfaitement broyée. Couler dans un grand verre à cocktail en passant au tamis.

Zombie Classique

$^1/_2$ oz. de rhum blanc
$^1/_2$ oz. de rhum blanc
$^1/_2$ oz. de cherry brandy
1 oz. de jus d'ananas
1 c. à soupe de grenadine
jus d'un demi-citron
jus d'une demi-limette
jus d'une demi-orange

Remplir la moitié d'un verre à Zombie de glace pilée et y ajouter les ingrédients ci-dessus.

Planter's Punch

1$^1/_2$ oz. de rhum blanc ou brun
1 c. à thé de grenadine
2 gouttes d'angustura

Mettre ces ingrédients dans un verre à Collins rempli de glace pilée. Bien agiter jusqu'à ce qu'il se forme du frimas à l'extérieur du verre. Ajouter un filet de rhum sur le dessus et décorer de fruits.

Cuba Libre

2 oz. de rhum brun
jus d'une demi-limette (garder le zeste)
cubes de glace

Mettre les ingrédients, dans un verre à highball, remplir de cola, remuer délicatement. Faire flotter le zeste de limette sur le dessus du verre.

Cubain Blanc

2 oz. de rhum blanc*
1/2 c. à thé de sucre en poudre
jus d'une demi-limette

Bien agiter avec de la glace concassée et couler dans un verre à cocktail.

*Pour un *cubain noir* remplacer le rhum blanc par du rhum brun et ajouter 1/2 oz. de liqueur de café. Noter que la recette du Cubain blanc ressemble à peu de choses près à celle du Daiquiri.

Cuba si, Yanqui no !

$1\,^1/_2$ oz. de rhum (cubain, de préférence)
$^1/_2$ oz. de jus d'ananas
1 c. à thé de triple sec ou de curaçao
jus d'une demi-limette

Bien agiter avec de la glace concassée et couler dans un verre à cocktail.
Décorer avec un morceau d'ananas embroché sur un pic.

Cream Puff Highball

2 oz. de rhum blanc
1 oz. de crème fraîche à 15%
1 c. à thé de sucre

Bien agiter avec de la glace concassée et couler dans un verre à highball.
Remplir d'eau gazeuse et remuer délicatement.

Bacardi

$1^1/_2$ oz. de rhum Bacardi
$^1/_2$ c. à thé de grenadine
jus d'une demi-limette

Bien agiter avec de la glace concassée et couler dans un verre à cocktail.

Between the sheets

$^1/_2$ oz. de rhum blanc
$^1/_2$ oz. de cognac
$^1/_2$ oz. de cointreau
un trait de jus de citron
cerise pour décoration

Bien agiter avec de la glace concassée. Couler dans un verre à cocktail.

Chicagoan Highball

$1^1/_2$ oz. de rhum
1 oz. de porto américain ou canadien
1 blanc d'oeuf
1 c. à thé de sucre en poudre
jus d'un demi-citron

Bien agiter avec de la glace concassée et couler dans un verre à highball.
Remplir d'eau gazeuse et mélanger délicatement.

Caribbean Delight

$1^1/_2$ oz. de rhum brun
$1^1/_2$ oz. de jus d'ananas
jus d'un demi-citron ou d'une demi-limette

Bien agiter avec de la glace concassée et couler dans un verre à cocktail.

Shake & Rattle

$1\frac{1}{2}$ oz. de rhum
$\frac{3}{4}$ oz. de vermouth blanc
2 gouttes d'angustura

Bien agiter avec de la glace concassée et couler dans un verre à cocktail.

La Parisienne

1 oz. de rhum blanc
$\frac{3}{4}$ oz. de triple-sec
$\frac{3}{4}$ oz. de crème fraîche à 15%

Bien agiter avec de la glace concassée et couler dans un verre à cocktail.

Eggnog

2 oz. de rhum brun
6 oz. de lait
1 c. à thé de sucre en poudre
1 oeuf

Bien agiter avec de la glace concassée. Couler dans un verre à Collins. Saupoudrer de muscade et de cannelle.

Pineapple « Convertible »

2 oz. de rhum brun
3/4 oz. de jus d'ananas
1 c. à thé de jus de citron
1 c. à thé de sucre en poudre

Bien agiter avec de la glace concassée et couler dans un verre à cocktail.

Si l'on désire transformer ce cocktail en fizz, verser dans un verre à highball, ajouter 1 oz. de jus d'ananas, compléter avec de l'eau gazeuse et remuer délicatement. Décorer avec une tranche d'ananas et une cerise.

L'île du Diable

1 1/2 oz. de rhum
1/2 oz. de curaçao
jus d'une demi-limette

Bien agiter avec de la glace concassée et couler dans un verre à cocktail.

Outrage au Tribunal

1 oz. de rhum blanc
1 oz. de dry gin
1 c. à thé de sucre à fruits
un trait de grenadine
jus d'un demi-citron

Bien agiter avec de la glace concassée et couler dans un verre à cocktail.

Cabana

$1^1/_2$ oz. de rhum blanc
1 c. à soupe de grenadine
$^1/_3$ de blanc d'oeuf
jus d'une demi-limette

Bien agiter avec de la glace concassée et couler dans un verre à cocktail.
Ajouter une cerise, si désiré.

Little Devil

1 oz. de rhum
1 oz. de gin
$^1/_2$ oz. de curaçao
jus d'un demi-citron

Bien agiter avec de la glace concassée et couler dans un verre à cocktail.

Brandy et cognac

Side Car du « Beu »

$^{3}/_{4}$ oz. de brandy
$^{3}/_{4}$ oz. de rhum
$^{3}/_{4}$ oz. de cointreau
jus d'une demi-limette

Bien agiter avec de la glace concassée et couler dans un verre à cocktail.

Stinger

$1^{1}/_{2}$ oz. de brandy
1 oz. de crème de menthe blanche

Bien agiter avec de la glace concassée et couler dans un verre à cocktail.

« L'esprit olympique »

2 oz. de brandy
$^3/_4$ oz. de triple-sec
1 oz. de vodka
1 oz. de jus d'orange

Bien agiter avec de la glace concassée et couler dans un verre à Old Fashioned.

Chicago

1$^1/_2$ oz. de brandy
$^1/_2$ c. à thé de curaçao
1 goutte d'angustura

Bien agiter avec de la glace concassée et couler dans un verre à cocktail dont le bord a préalablement été enduit de jus de citron et passé dans du sucre en poudre (pour lui donner un aspect givré).

Harvard Sophomore

$1\,^1/_2$ oz. de brandy
$^3/_4$ oz. de vermouth rouge
1 c. à thé de grenadine
2 gouttes d'angustura
jus d'une demi-limette

Bien agiter avec de la glace concassée et couler dans un verre à cocktail.

Cold Shoulder

1. oz. de brandy
$^1/_2$ oz. de crème de menthe blanche
$^1/_2$ oz. de vermouth rouge

Bien agiter avec de la glace concassée et couler dans un verre à cocktail.

Brandy Sour

2 oz. de brandy
1/2 c. à thé de sucre en poudre
1 blanc d'oeuf
jus d'un demi-citron

Bien agiter avec de la glace concassée et couler dans un verre à sour. Décorer d'une cerise.

Brandy Sling

2 oz. de brandy
1 c. à thé de sucre en poudre
2 cubes de glace
jus d'un demi-citron

Dans un verre à Old Fashioned, dissoudre le sucre dans un peu d'eau et dans le jus de citron; incorporer le brandy et la glace. Décorer d'un zeste de citron.

American Beauty

$^{1}/_{2}$ oz. de brandy
$^{1}/_{2}$ oz. de crème de menthe blanche
$^{1}/_{2}$ oz. de vermouth sec
$^{1}/_{2}$ oz. de jus d'orange
$^{1}/_{2}$ oz. de grenadine

Bien agiter avec de la glace concassée; couler dans un verre à cocktail. Ajouter un filet de porto sur le dessus.

Bermuda Highball

$^{3}/_{4}$ oz. de brandy
$^{3}/_{4}$ oz. de dry gin
$^{3}/_{4}$ oz. de vermouth sec
2 cubes de glace

Verser les ingrédients dans un verre à highball. Remplir avec de l'eau gazeuse.

Eggnog au brandy

2 oz. de brandy
8 oz. de lait
1 c. à thé de sucre en poudre
1 oeuf

Bien agiter avec de la glace concassée. Couler dans un verre à Collins. Saupoudrer d'un peu de muscade.

Brandy Fizz

2 oz. de brandy
1 c. à thé de sucre en poudre
jus d'un demi-citron

Bien agiter avec de la glace concassée. Couler dans un verre à highball et ajouter de l'eau gazeuse.

Brandy Highball

2 oz. de brandy
2 cubes de glace

Verser dans un verre à highball et remplir avec de l'eau gazeuse ou du ginger ale. Ajouter un zeste de citron. Remuer modérément.

Cognac Highball

2 oz. de cognac
1 cube de glace

Mettre dans un verre à highball; remplir d'eau gazeuse. Remuer délicatement. Ajouter un zeste de citron.

Bull's Eye

1 oz. de brandy
2 oz. de cidre sec du Québec
2 cubes de glace

Verser dans un verre à highball. Ajouter du ginger ale et mélanger délicatement.

Square-head Highball

3/4 oz. de brandy
3/4 oz. de dry gin
3/4 oz. de vermouth rouge
2 cubes de glace

Mettre les ingrédients dans un verre à highball. Remplir d'eau gazeuse. Remuer délicatement. Zeste de citron, au goût.

Brandy long drink

2 oz. de brandy (ou de cognac)
6 oz. d'eau gazeuse
2 cubes de glace

Verser dans un verre à Collins
et remuer modérément.

Vodka

Screwdriver

$1^1/_2$ oz. de vodka
jus d'orange

Verser la vodka dans un grand verre contenant 2 cubes de glace. Remplir le verre de jus d'orange. Mélanger.

Bloody Mary

$1^1/_2$ oz. de vodka
2 oz. de jus de tomate
un trait de jus de citron

Bien agiter avec de la glace concassée et couler sur un cube de glace dans un verre à Old Fashioned.

Black Russian

$1^1/_2$ oz. de vodka
$^3/_4$ oz. de liqueur de café genre
Kahlua
cubes de glace

Dans un verre à Old Fashioned, verser simultanément les deux alcools sur la glace.

Moscow Mule

$1^1/_2$ oz. de vodka
1 demi-limette complète
bière de gingembre

Verser sur cubes de glace dans un gobelet de cuivre. Remplir de bière de gingembre. Ajouter une tranche de concombre, si désiré.

Indian Tonic Vodka

2 oz. de vodka
cubes de glace
tonic water

Verser vodka et cubes de glace dans un verre à highball. Remplir de tonic water. Remuer délicatement.

Vichy Vodka

$1^1/_2$ oz. de vodka
un quart (une petite bouteille) de Vichy (au pire, accepter du soda)

Servir sur cubes de glace. On dit qu'il s'agit du mélange le plus facile à digérer. Ce qui est certain, c'est qu'il s'agit du mélange le plus dépouillé, le plus sobre. Le favori des intellectuels de gauche et des artistes oeuvrant dans l'abstraction.

Russian Apple

2 oz. de vodka
jus de pomme

Remplir un verre à Collins de glace concassée. Y verser 2 oz. de vodka. Remplir de jus de pomme et remuer délicatement.

Russian Bear

$1^1/_2$ oz. de vodka
$^3/_4$ oz. de crème de cacao
$^1/_2$ oz. de crème fraîche à 15%

Bien agiter avec de la glace concassée et couler dans un verre à cocktail.

Down Under

$1^1/_2$ oz. de vodka
1 oz. de vermouth blanc
jus d'une demi-limette

Bien agiter avec de la glace concassée et couler dans un verre à cocktail. Servir avec zeste de limette.

Amigos Russkis

$1^1/_2$ oz. de vodka
$^3/_4$ oz. de rhum (cubain, si possible)
1 c. à thé de cassonade
jus d'une limette

Bien agiter avec de la glace concassée et couler dans un verre à cocktail.

Sombre Lundi

$1^1/_2$ oz. de vodka
$^3/_4$ oz. de cointreau
un peu de colorant végétal bleu

Bien agiter avec de la glace concassée et couler dans un verre à cocktail.

Tequila

Margarita

$1\frac{1}{2}$ oz. de tequila
$\frac{1}{2}$ oz. de triple sec
jus d'une limette

Bien agiter avec de la glace concassée et couler dans un verre à cocktail ainsi préparé: le bord du verre aura été préalablement frotté avec un zeste humide de limette, puis on l'aura passé dans du sel pour lui donner un aspect givré.

Tequila con limon

$1\frac{1}{2}$ oz. de tequila, dans un verre à liqueur
1 pincée de sel
1 limette coupée en quatre

Mordre dans une portion de limette et en avaler le jus. Poser le sel sur la langue et boire la tequila.

L'une des boissons favorites des Mexicains.

Mero Mero

2 oz. de tequila
1 c. à thé de sucre en poudre
jus d'une petite limette

Bien agiter avec de la glace concassée et couler dans un verre à sour. Compléter avec de l'eau gazeuse. Décorer avec une tranche de limette et une cerise verte.

Mexicola

2 oz. de tequila
jus d'une limette

Verser dans un verre à Collins. Ajouter 2 ou 3 cubes de glace. Remplir de cola et remuer délicatement.

Calvados

Calva Highball

2 oz. de calvados
1 cube de glace

Mettre les ingrédients dans un verre à highball et le remplir d'eau gazeuse ou de ginger ale glacée. Décorer d'un zeste de citron. Remuer modérément.

Cocktail Calva

$1^{1}/_{2}$ oz. de calvados
1 c. à thé de jus de citron
1 c. à thé de grenadine

Bien agiter avec de la glace concassée et couler dans un verre à cocktail.

Dempsey Smack

1 oz. de calvados
1 oz. de dry gin
1 c. à thé de Pernod
1 c. à thé de grenadine

Bien mélanger avec de la glace concassée et couler dans un verre à cocktail.

Jack Rose Cocktail

1 $^{1}/_{2}$ oz. de calvados
$^{1}/_{4}$ oz. de grenadine
jus d'une limette

Bien agiter avec de la glace concassée et couler dans un verre à cocktail.

Clou de cercueil

$1^1/_2$ oz. de calvados
$1^1/_2$ oz. de cognac
1 c. à thé de Pernod

Bien agiter avec de la glace concassée et couler dans un verre à cocktail.

Cocktails à base de vins

Martini Dry*

$1^1/_2$ oz. de dry gin
$^1/_2$ oz. de vermouth blanc

Servir glacé avec une olive verte.

*Pour un martini *extra-dry* n'utiliser que $^1/_4$ d'oz. de vermouth.

Negroni

$^3/_4$ oz. de Campari
$^3/_4$ oz. de dry gin
$^3/_4$ oz. de Cinzano

Servir sur glace dans un verre à Old Fashioned et remuer doucement.

Dubonnet Cocktail

2 oz. de Dubonnet
1 oz. de dry gin
2 gouttes d'angustura

Bien agiter avec de la glace concassée et couler dans un verre à cocktail. Servir avec un zeste d'orange que l'on aura préalablement pressé sur le bord du verre.

Champagne Cocktail

Champagne
1 morceau de sucre
2 gouttes d'angustura
zeste d'un demi-citron découpé en spirale

Mettre le morceau de sucre dans une coupe à champagne. Ajouter 2 gouttes d'angustura. Remplir de champagne bien frappé. Décorer avec le zeste de citron. On peut ajouter un filet de cognac.

Cocktail Picon

$1^{1}/_{2}$ oz. d'amer picon
1 c. à thé de grenadine
jus d'une limette

Bien agiter avec de la glace concassée et couler dans un verre à cocktail.

Dubonnet Highball

3 oz. de Dubonnet
2 cubes de glace

Mettre les ingrédients dans un verre à highball. Remplir d'eau gazeuse. Remuer délicatement. Zeste de citron, si désiré.

Vermouth Cassis

$1^1/_2$ oz. de vermouth blanc
$^1/_2$ oz. de crème de cassis ou de sirop de cassis

Bien agiter avec de la glace concassée et couler dans un verre à cocktail.

Si l'on désire un "cassis highball", verser le cocktail dans un verre à Collins, compléter avec de l'eau gazeuse et remuer délicatement.

Peter Pan

1 oz. de vermouth Cora blanc
1 oz. de dry gin
1 oz. de jus d'orange
3 gouttes d'angustura

Bien agiter avec de la glace concassée et couler dans un verre à cocktail.

Sherry Cobler

3 oz. de sherry
$^3/_4$ oz. de curaçao
jus d'orange ou eau gazeuse

Verser le sherry et le curaçao dans un verre à highball rempli de glace concassée. Bien mélanger. Compléter avec le jus d'orange ou l'eau gazeuse. Remuer délicatement. Décorer avec des fruits de saison. Servir avec pailles.

Continental

$1^1/_2$ oz. de vermouth blanc
$1^1/_2$ oz. de vermouth rouge
2 gouttes d'angustura

Verser dans un verre à Old Fashioned contenant 2 cubes de glace.

Mr. Callaghan

$1^1/_2$ oz. de Cinzano
$^1/_2$ oz. d'apricot brandy
3 gouttes d'angustura

Bien agiter avec de la glace concassée et couler dans un verre à cocktail.

Porto Flip

2 oz. de porto
1 c. à thé de sucre à fruits
1 jaune d'oeuf

Bien agiter et couler dans un grand verre à cocktail. Râper un peu de muscade au-dessus du verre.

Américano

$1^1/_2$ oz. de vermouth rouge
$^3/_4$ oz. de Campari bitter
$^1/_2$ tranche d'orange
$^1/_2$ tranche de citron

Verser dans un verre à cocktail. Compléter avec de l'eau gazeuse. Remuer délicatement. Décorer avec les tranches d'orange et de citron.

Cocktail Porto

$2^1/_2$ oz. de porto véritable*
1 c. à thé de cognac

Bien agiter avec de la glace concassée et couler dans un verre à cocktail.

*On peut également utiliser du porto canadien et du brandy ordinaire.

Veuve joyeuse

1 oz. de vermouth blanc
1 oz. de dry gin
1 c. à thé de Pernod
1 c. à thé de bénédictine
2 gouttes d'angustura

Bien agiter avec de la glace concassée et couler dans un verre à cocktail. Servir avec un zeste de citron.

Jerez Cocktail

2 oz. de Xérès
1 c. à thé de curaçao
2 gouttes d'angustura

Bien agiter avec de la glace concassée et couler dans un verre à cocktail.

Liqueurs

Crème de menthe frappée

Remplir un verre à cocktail avec des copeaux de glace ou, à défaut, de la glace concassée. Verser de la crème de menthe verte.
Servir avec deux pailles courtes.

Grasshopper

3/4 oz. de crème de cacao brune
3/4 oz. de crème de menthe verte
3/4 oz. de vodka

Bien agiter avec de la glace concassée et couler dans un verre à cocktail. Décorer d'une demi-cerise verte et d'une demi-cerise rouge embrochées sur un pic.

Angel's Kiss

$1/2$ oz. de crème de cacao brune
$1/2$ oz. de brandy
$1/2$ oz. de crème fraîche à 15%

Dans un verre à liqueur, verser délicatement d'abord la crème de cacao, puis le brandy et la crème fraîche, en prenant garde de ne pas mélanger les ingrédients. Décorer d'une demi-cerise sur pic.

Aunt Jemima

$3/4$ oz. de bénédictine
$3/4$ oz. de crème de cacao
$3/4$ oz. de cognac

Dans un grand verre à liqueur verser délicatement, de façon à les superposer:
a) la crème de cacao;
b) la bénédictine;
c) le cognac.

Singapore

$^1/_2$ oz. de dry gin
$^1/_2$ oz. de cherry brandy
1 oz. de sloe gin
1 c. à soupe de grenadine
jus d'un citron

Bien agiter avec de la glace concassée. Couler dans un verre à Collins. Ajouter un trait d'eau gazeuse glacée. Décorer de tranches de citron, d'orange et d'une cerise.

Mint on the rocks

Verser 2 oz. de crème de menthe (verte ou blanche) sur des cubes de glace dans un verre à Old Fashioned.

Servir avec pailles courtes.

Sloe gin snap

2 oz. de sloe gin
1 c. à thé de vermouth blanc
1 c. à thé de curaçao
4 gouttes d'angustura

Bien agiter avec de la glace concassée et couler dans un verre à cocktail.

Pousse l'amour

$^1/_2$ oz. de crème de porto (Cream of Port)
$^1/_2$ oz. de bénédictine
$^1/_2$ oz. de cognac
1 jaune d'oeuf

Dans une flûte à liqueur, faire flotter les ingrédients dans l'ordre indiqué ci-dessus.

Henri VIII

$^{1}/_{2}$ oz. de sirop de cassis
$^{1}/_{2}$ oz. de chartreuse ou d'Izarra jaune
$^{1}/_{2}$ oz. de liqueur de café
$^{1}/_{2}$ oz. de crème de menthe blanche
$^{1}/_{2}$ oz. de chartreuse ou d'Izarra verte
$^{1}/_{2}$ oz. de cognac

Verser délicatement, dans l'ordre indiqué ci-dessus, dans une flûte à liqueur (à la rigueur dans un verre ballon). Comme pour tous les pousse-café, il s'agit de ne point mélanger les alcools sous peine de rater l'effet décoratif que l'on désire obtenir.

Tribord et babord

$^{3}/_{4}$ oz. de grenadine
$^{3}/_{4}$ oz. de crème de menthe verte

Faire flotter la crème de menthe sur la grenadine dans un verre ballon.

L.D.M. spécial

1 oz. de crème de menthe blanche
1 oz. de drambuie
1 oz. de scotch

Superposer les ingrédients ci-dessus dans un verre à cognac (verre ballon).

Rue Royale

1 1/2 oz. de liqueur de fraise ou de framboise
3/4 oz. d'armagnac
champagne

Bien agiter les deux premiers ingrédients avec de la glace concassée et couler dans un verre à cocktail. Compléter avec du champagne.

Dyna Moe

$1^1/_2$ oz. de crème de menthe blanche
$^3/_4$ oz. de cognac

Remplir un verre à cocktail de glace concassée ou en copeaux, puis verser la crème de menthe jusqu'aux $^3/_4$ de sa capacité. Verser doucement le cognac sur le dessus pour qu'il flotte.

B.B. Flotteur (B & B)

$^1/_2$ oz. de bénédictine
$^1/_2$ oz. de brandy

Verser la bénédictine dans un verre à liqueur. Verser doucement le brandy par-dessus.

On peut, évidemment, utiliser du cognac.

La bonne bière

Half & Half

$^{1}/_{2}$ bouteille de bière blonde (ale glacée
$^{1}/_{2}$ bouteille de porter glacé

Mélanger les 2 bières en versant lentement.

Red Eye

6 oz. de bière blonde glacée
6 oz. de jus de tomate

Mélanger délicatement les 2 ingrédients.

Chaser

$1\,^1/_2$ oz. de gros gin, de brandy ou de rye
6 oz. de bière glacée

Boire d'abord l'alcool et suivre d'une lampée de bière.

Cette manière de boire, très populaire chez les robustes Canadiens de nos campagnes, exige un estomac d'une solidité à toute épreuve.

Shandy Gaff (très rafraîchissant)

1 petite bouteille de bière glacée
1 petite bouteille de bière de gingembre*

Mélanger les 2 bières selon les proportions que l'on désire:

$^1/_2$ bière, $^1/_2$ bière de gingembre;
$^2/_3$ bière, $^1/_3$ bière de gingembre;
$^3/_4$ bière, $^1/_4$ bière de gingembre.

*« ginger beer »

Black Velvet

6 oz. de bière porter
6 oz. de champagne*

Verser doucement dans un grand verre de 12 oz. garni de cubes de glace. Mélanger délicatement.

*Il est recommandé d'utiliser du champagne canadien ou américain, le mélange avec du champagne français constituant un véritable "sacrilège gastronomique."

« El Presidente » (Chaser)*

1 verre à liqueur de cognac 3 étoiles
1 petite bouteille de bière

Boire d'un trait le verre de cognac et le faire suivre de la bière. On peut également mélanger les ingrédients.

*Cette curieuse variante du "chaser", bien connu des bûcherons (qui utilisent du gros gin), s'adresse à ceux qui veulent faire ressortir leurs origines terriennes. Effet garanti chez les snobs

Pernod et "t'sort d'affaires"

Fancy cocktail ("will fit")

2 oz. de dry gin, de whisky, de cognac ou de vodka
1 c. à thé de triple sec
1 c. à thé de sucre en poudre
2 gouttes d'angustura

Bien agiter avec de la glace concassée et couler dans un verre à cocktail. Ajouter un zeste de citron que l'on aura préalablement pressé sur le bord du verre.

Highball « Convertible »

2 oz. de rhum brun, de rye ou de scotch
2 cubes de glace

Verser dans un verre à Collins. Ajouter du soda ou du Perrier. Ajouter un zeste de citron et remuer délicatement.

Swizzle fizzle

1 c. à thé de sirop simple
3 gouttes d'angustura
2 oz. de dry gin, de brandy, de
rhum ou de whisky
jus d'une limette

Dans un verre à Collins contenant un peu d'eau gazeuse verser le sirop simple et le jus de limette. Remplir de glace concassée. Ajouter l'angustura, puis le dry gin, le brandy, le rhum ou le whisky. Compléter avec de l'eau gazeuse et remuer délicatement avec une longue cuillère ou un grand pic.

Hors pair

$1^{1}/_{2}$ oz. de Pernod
jus d'orange

Verser le pernod sur 2 cubes de glace. Compléter avec du jus d'orange, au goût. Remuer délicatement.

Tomate

$1^1/_2$ oz. de Pernod
$^1/_2$ oz. de grenadine

Verser dans un verre à Old Fashioned contenant un peu de glace grossièrement broyée. Ajouter de l'eau au goût. Remuer doucement.

Perroquet

1 oz. de Pernod
1 oz. de crème de menthe verte

Verser dans un verre à Old Fashioned contenant un peu de glace grossièrement broyée. Ajouter de l'eau au goût. Remuer doucement.

La Sangria espagnole

Pour 6 personnes:

1 bouteille de vin espagnol sec type « Sangre de Toro »
1 petite bouteille de soda
2 oranges et 2 citrons, coupés en tranches
2 c. à thé de sucre en poudre
cubes de glace

Placer les ingrédients dans une cruche en terre cuite et bien mélanger.
On peut, pour varier, ajouter d'autres fruits frais, à l'exception du melon, qui réagit très mal à ce mélange.

N.B.: Les Espagnols préparent souvent leur sangria la veille d'une réception, afin que le vin s'imprègne bien du goût des fruits. Certains la préparent même plusieurs jours d'avance.

Punch « T'sort d'affaires »

$1^1/_2$ oz. d'alcool*
$1^1/_2$ oz. de jus de pamplemousse
1 c. à thé de grenadine ou de sucre à fruits
jus d'un quart de citron

Multiplier ce qui précède par le nombre de convives. Vous aurez suffisamment de punch pour en offrir 4 oz. à chaque personne. Pour faire votre punch, employez un grand bol dans lequel vous aurez placé un pain de glace.
Y vider le punch pour le refroidir et décorer avec des morceaux de pommes, d'oranges et des cerises.

*Dry gin, rye, scotch, bourbon, etc., au choix et selon l'imagination du mixologiste — « t'sort' d'affaires », quoi!

Punch champagnisé

2 bouteilles de champagne*
1 verre à cocktail de liqueur de marasquin
13 oz. de brandy
1 verre à cocktail de triple sec
1 bouteille d'eau gazeuse (26 oz.)
1 théière de thé fort (4 petits sacs)
fruits de saison, sucre en poudre
jus d'une douzaine de citrons

Dissoudre le sucre en poudre dans le jus de citron et un peu d'eau. Ajouter les autres ingrédients et un pain de glace de 4 à 5 livres. Mélanger. Servir dans des verres à punch.

*Le champagne français n'est pas obligatoire. Les champagnes américains ou canadiens conviennent très bien.

Punch la-presse mon-oeil

Pour 6 personnes:

1 - 13 oz. de rhum brun
10 c. à thé de sucre à fruits
6 cubes de glace
jus de deux oranges
jus d'un citron

Faire fondre le sucre (environ 1 c. à thé par personne) dans un peu d'eau. Mélanger avec les autres ingrédients dans un pichet. Servir dans des verres à cocktail. Présenter avec une tranche d'orange à cheval sur le bord du verre. On peut renforcer ou alléger les doses, au goût.

Drinks chaleureux

Grog américain

$1^1/_2$ oz. de rhum brun
2 morceaux de sucre
jus d'un quart de citron

Mettre les ingrédients dans une chope de terre cuite; remplir d'eau chaude et mélanger.

Hot Toddy

2 oz. de rhum*
6 clous de girofle
2 c. à soupe de sucre
une pincée de cannelle moulue
ou un peu de muscade râpée

Dans une petite chope en terre cuite dissoudre le sucre dans de l'eau bouillante. Ajouter les clous et le rhum. Compléter avec de l'eau bouillante. Ajouter la cannelle ou la muscade râpée sur le dessus. Décorer avec une tranche de citron.

*de whisky, de gin ou de brandy

Flaming Flamingo

$1/2$ oz. de grenadine
$1/2$ oz. de crème de menthe verte
$1/2$ oz. de cointreau
$1/2$ oz. de cognac

Verser les liqueurs en prenant garde de ne pas les mélanger, de façon à former des couches superposées. Faire flamber. Éteindre. Laisser refroidir avant de déguster.

Café irlandais

2 oz. de whisky irlandais
2 c. à thé de sucre
café
crème fouettée

Dans un verre à pied que l'on aura préalablement chauffé (en versant dedans du café bouillant, mais très doucement, en faisant tourner le verre), verser le whisky irlandais et le sucre. Remplir progressivement de café en laissant un espace en haut du verre. Faire flotter une généreuse quantité de crème fouettée. Boire sans mélanger les ingrédients. On peut varier la recette en utilisant une petite chope en terre cuite. En tel cas, faire d'abord flamber le whisky avant d'ajouter le café, le sucre et la crème fouettée.

Tom & Jerry

1 oeuf
1 c. à thé de sucre à fruits
$^3/_4$ oz. de cognac
$^3/_4$ de rhum blanc
lait chaud
muscade

Battre séparément le blanc et le jaune d'un oeuf. Les mélanger. Ajouter le sucre à fruits puis battre à nouveau. Verser dans une tasse à Tom & Jerry et ajouter le cognac et le rhum blanc.
Bien mélanger et remplir la tasse de lait chaud.
Saupoudrer de muscade.

Whisky blazer

$2^1/_2$ oz. de scotch ou de rye
$2^1/_2$ oz. d'eau bouillante
1 c. à thé de sucre en poudre

Utiliser 2 chopes d'étain ou d'argent. Mettre le whisky dans l'une des chopes et l'eau dans l'autre. Faire flamber le whisky et, alternativement, à plusieurs reprises, faire passer le whisky dans l'eau et vice-versa. L'effet est garanti si l'on est habile.
Servir avec un zeste de citron et sucrer avec la cuillérée de sucre en poudre.

Brandy blazer

2 oz. de brandy
1 zeste de citron
1 zeste d'orange
2 morceaux de sucre

Flamber le mélange dans une tasse en terre cuite. Mélanger le tout pendant quelques secondes à l'aide d'une longue cuiller de barman. Couler dans une chope ou un verre à grog.

Hot Flip

$1^1/_2$ oz. de brandy
1 jaune d'oeuf
1 c. à thé de sucre en poudre

Battre le jaune d'oeuf, le sucre et le brandy dans une petite chope de terre cuite. Remplir de lait très chaud et gratter un peu de muscade sur le dessus.

Hot buttered rhum

2 morceaux de sucre
2 oz. de rhum brun ou blanc
une pointe de beurre
muscade

Mettre les morceaux de sucre dans une petite chope en terre cuite que l'on remplit à moitié d'eau bouillante.
Ajouter le rhum et le beurre. Remuer délicatement et gratter un peu de muscade sur le dessus.

Bonnet de nuit

2 oz. de rhum
1 c. à thé de sucre en poudre
lait chaud

Verser les deux premiers ingrédients dans une chope en terre cuite ou une tasse à Tom & Jerry.
Compléter avec du lait chaud et mélanger. Saupoudrer de muscade.

Perky Potz

2 oranges pelées, en cubes
2 citrons pelés, en cubes
2 oz. de rye par personne
2 c. à thé de miel

Placer oranges et citrons dans le panier d'un percolateur de cafetière. Ajouter 4 oz. d'eau par personne. Faire bouillir l'eau jusqu'à ce qu'elle passe sur les fruits et ce, pendant 2 à 3 minutes. Au dernier moment, ajouter le rye. Laisser bouillir une autre minute. Servir dans une tasse sur une tranche d'orange pelée.

Gin chaud

1 1/2 oz. de gros gin
jus de citron
sucre
muscade

Ajouter jus de citron, sucre à fruits, sirop d'érable ou miel, au goût.
Verser dans une chope puis remplir d'eau chaude.
Saupoudrer de muscade et décorer d'une tranche de citron.

Index

IMPRIMÉ AU QUÉBEC